KB103648

일곱색깔무지개

일곱 색깔 무지개

발　행 | 2024년 1월 1일
저　자 | 김재희,이은재,김민영,김화수,전미주,이윤경,최희숙
펴낸이 | 한건희
펴낸곳 | 주식회사 부크크
출판사등록 | 2014.07.15.(제2014-16호)
주　소 | 서울특별시 금천구 가산디지털1로 119 SK트윈타워 A동 305호
전　화 | 1670-8316
이메일 | info@bookk.co.kr

ISBN | 979-11-410-6315-3

www.bookk.co.kr
ⓒ 김재희,이은재,김민영,김화수,전미주,이윤경,최희숙 2024

본 책은 저작자의 지적 재산으로서 무단 전재와 복제를
금합니다.

시간창조연구소 강사 작품집

일곱색깔무지개

김재희

이은재

김민영

김화수

전미주

이윤경

최희숙

시창연의 새벽

CONTENT

사랑, 공동체, 시너지

지혜창조연구소
대표 김민영

20년 4월 1일 지혜창조연구소가 세상에 탄생하였습니다.
사랑, 공동체, 시너지를 핵심가치로 두고,
코칭/K-DISC/자아실현(일자리 제공) 3가지 분야로
나아가고 있습니다.

시간창조연구소는 지혜창조연구소 부설기관으로 지난 2년간
주중 아침 6-7시를 함께 공유하고 있습니다.
하루의 시작을 어떻게 하는지가 굉장히 중요하다는 거
다들 알고 계시죠?

하지만 실제 나를 위한 시간을 꾸준히 낸다는 것이 쉽지 않은데, 이윤경 리더님을 비롯해서 최희숙, 김재희, 이은재, 전미주, 김화수 선생님들은 이를 실천하셨고 실천하고 계십니다

나를 위한 시간 + 함께 성장을 위해 명상, 책 나눔, 돌아가면서 재능 기부, 오프라인 만남 등등도 지속적으로 행하고 계십니다.

꾸준하면서 끈끈한 활동을 통해서 서로 다른 색들이 무지개를 형성하고, 아주 아름답게 빛나고 있습니다.

미라클 모닝으로 뷰티풀 인연과 원더풀 한 삶을 살고 계신 일곱 색깔 무지개, 시간창조연구소 멤버님들께 박수를 보냅니다.

시간창조연구소는 앞으로도 계속 지속될 것이며 더욱 다양한 색깔의 선생님들의 참여를 기다립니다.

2023. 12. 25.

■ 김 재 희

사회복지사

장애인 성교육강사

테라피월 요가지도자

인권 전문강사

보육교사

미술심리상담사

■ 김 재 희

나의 한계를 넘게 한 테라피윌 요가

여러 가지 요가 중에 내가 선택한 테라피윌 요가.
1년 동안 쉼 없이 꾸준하게 연습했다.
테라피윌 요가를 통해서 외면의 나 그리고 내면의 나와
끊임없이 대화를 하면서 나의 몸과 마음 그리고 생각이
따로따로 있는 것이 아니라 하나로 연결되어 있다는 것을
알게 되었다.
내 몸과 마음에 자리 잡고 있던 습관들의 한계에 도전했던
1년, 드디어 나는 테라피윌 요가 지도자 자격증을 취득했다.
역시 꾸준함이 답이다.

■ 김 재 희

빨간색을 선택한 이유

활활 타오르는 모닥불을 보면 빨간색, 파란색, 주황색,
황금색 등등 한가지 색깔이 아니라 여러 가지 색깔이
보인다는 것을 아시나요?.
제 눈에는 그중에서 열정적이고 따뜻한 에너지가 느껴지는
빨간색이 제일 크게 보이네요.

날이 추워지니까 자꾸 몸이 움츠려집니다. 그래서인지
열정적이고 따뜻한 에너지를 느낄 수 있는 빨간 모닥불이
생각났어요.

계절에 상관없이 제 마음에 활활 타오르는 모닥불을 피우기 위해서 저는 계속 배우고, 책을 읽고, 저의 한계에 도전하고, 끊임없이 사람들을 만나면서 성장하고 있습니다.

어둠을 빛으로 밝혀주는 모닥불처럼 마음이 추운 사람들에게 열정의 빨간 에너지를 나눠줄 수 있는 그런 사람이 되고 싶습니다.

■ 김 재 희

'쿨'걸스 고딩 친구들과 함께

고딩 때의 추억도 회상할 겸 그리고 불혹의 나이 40대가
되기 전에 교복을 입고 사진을 찍어보는 것이 재미도 있고
의미도 있겠다는 생각에 친구들과 교복 사진 찍기에
도전했다.
'50대에는 무슨 컨셉으로 사진을 찍을까?' 라고 했던
미선이의 말이 생각난다.
그런 말을 했던 미선이가 작년에 하늘의 별이 되었다.

이 사진이 우리 '쿨'걸스 친구들 다섯 명이 함께 찍은
마지막 사진이 될 줄은 몰랐다.
"쿨"걸스 친구들과 다시 함께 사진을 찍을 수 있을까?
우리 다섯 명이 함께 찍을 수 있는 방법이 있어.
우리 넷이 밤하늘의 미선이 별을 보면서 사진을 찍으면
되니까.
보고싶다 미선아~

■ 김 재 희

드디어 가 본 "별마당 도서관"

우와~ 사방이 모두 책 천지다~!!!
한 번은 꼭 와보고 싶었던 곳~
기쁠 때나 슬플 때나 외로울 때 언제나 나와 함께
하는 책 친구들이 있는 별마당 도서관에 시간 창조
선생님들과 함께 와서 천 배 만 배 더 좋았다.

다음에 또 같이 와요, 선생님들~^^

■ 김 재 희

1박 2일 우리가족 J4 가족여행

코로나 상황일 때 너무나 답답했던 일상 중에 떠난 동해
바다~
차박으로 훌쩍 떠났던 1박 2일~
차안에서 바라보는 푸른 바다는 체했을 때 시원한 사이다를
마신 것처럼 속이 뻥 뚫리는, 정말 말 그대로 우리 가족에게
힐링 그 자체였다.
다시 동해 바다로 우리 가족 다함께 힐링하러 떠나고 싶다~
모든 것을 훌훌 떨쳐버리고~ 푸른 바다로 1박 2일!!

■ 김 재 희

짝꿍 정우 씨와 데이트

짝꿍 정우씨와 단둘이 카페를 찾았다.
이제는 아이들도 제법 컸나보다.
드디어 부부만의 시간을 가질 수 있었다.
카페에서 짝꿍 정우씨와 함께 한 사진을 가족 단톡방에
올렸더니 아이들이 "좋은 시간 보내세요"라고 톡을 보내왔다.
다 컸구나 싶다.
아이들이 어느 정도 크니까 이제 남편이 보인다.

이제부터는 아이들에게 썼던 시간을 짝꿍 정우씨에게
써야겠다라는 생각이 든다.
부모도 아이도 서로의 시간이 필요하다.
그래야 서로의 시간대로 성장할 테니까.
부부가 먼저 행복해야 아이도 행복하다.
그래야 그 행복한 모습을 보고 자랄 테니까.

■ 김 재 희

나무와 나

나무 앞에 앉아 있는 나~!

나무에 비친 나의 그림자도 나~!

나무에 만들어본 하트도 바로 나~!

어떤 모습으로 있어도
있는 그대로인
나의 모습을 사랑한다.

재희야, 사랑해

■ 이 은 재

(현) 초등학교 돌봄전담사
(현) 숭실대학교 일반대학원
문화치유전공 박사과정
(사) 한국코치협회 KPC 인증코치
성공하는 사람들의 7가지 습관 FT
변혁코칭 FT
독서 논술지도사
가족코칭지도사 전문가

■ 이은재

나의 무지개 색은 주황

있는 듯 없는 듯 많은 사람들이 잘 찾지 않은 색

왠지 나의 성격과 삶을 담아내는 색 같아서 주황을
선택하였다. 그래서 네이버 사전을 검색하니 빨강과 노랑의
중간색이라고 한다. 또한, 따뜻한 느낌을 주는 난색이고 약동,
활력, 만족, 적극성을 상징한다고 한다.

따뜻한 사람이 되려고 노력하는 나에게 어울리는 색이 맞는
것 같다.

■ 이은재

우리 집 이름 모를 꽃

핸드폰에 들어 있는 사진을 찾는 데 너무 한참 걸렸다.

참 나도... 사진을 찍는 걸 많이 싫어하기는 하나

어째 이렇게 사진 한 장이 없는지...

2018년 사진을 찾아냈다.

우리 집 대문 바로 앞에

시멘트 바닥 사이에 핀 이름 모를 꽃

꽃을 보면서 또 울고 얼마나 감사했는지.

척박하지만 그래도 살아내는 꽃

삶이 다들 척박하지....

그래도 그래도 하루하루 살아가는 모습들에 감사하고,

감사하며 살자

■ 이은재

나의 친구들

늘 나의 곁에 있어주는 친구들
요즘 유행하는 하이볼을 고등학교 친구들하고 즐겼다.
만날 때마다 울고, 만날 때마다 분노에 휩싸이고,
만날 때마다 괴로워하는 나의 푸념을 아무 소리 하지 않고
35년 동안 들어주는 나의 귀한 친구들

친구들과 이런 시간을 보내는 날이
앞으로도 계속되기를...

사람이 살아가는데 내 편이 되어주는 단
한 사람만 있어도 살 수 있다는데
나에게는 2명이나 있네!!!
나는 참 복이 많은 사람인 것 같다.

■ 이은재

별 모양의 피자

별 모양의 피자

피자는 둥글다, 혹은 네모나다는 상식을 깨는 피자이다.

별 모양의 피자를 처음 먹어본다.

모양만 이쁜 것이 아닌 맛도 아주 훌륭한 피자이다.
겉모습만 화려하고 맛이 없는 음식들도 많은데...
사람들도 그런 것 같다.
겉모습만 화려하고
속은 빈 깡통인 사람들이 너무 많은데...
시창연 식구들은 화려하면서도
속이 꽉꽉 차여 있는 분들만 있는 것 같다.
이런 분들과 같이 할 수 있다는 것이 얼마나 행운인가?
같이 갈 수 있는 사람이 되기 위해
노력하는 내가 되어야겠다.

■ 이은재

감사한 경험

지창연 대표님이 서울 시청에서 행사를 한다고 하여
두 분 선생님과 같이 응원 방문을 하였다.

가서 여러 가지 체험을 해 보고 좋은 시간을 가졌다.

그중에서도 백내장 체험을 하였다.

많이 듣던 이야기이고,

다들 아무렇지도 않게 이야기한 병이라

우습게 생각하였는데,

오히려 앞이 아무것도 보이지 않았다.

그 어떤 것도 병은 가벼운 게 없다는 생각이 들면서

눈이 불편하신 분들의 경험을 해 봄으로써

아주 미약하게나마

그분들이 겪는 어려움을 느끼게 되었다.

응원을 하러 갔으나, 응원을 받고 온 날이었다.

■ 이은재

20년만의 데이트

올봄에 신랑이랑 단둘이 낙산사를 다녀왔다.

신랑하고 단둘이 어디를 다녀와 본 적이 없었는데...

아이들 기도해 주려고 둘이서 하루 일정으로 갔다왔다.

강원도 가는 고속도로가 2시간 정도로 아주 편하게 운전하면
갈 수 있는 길이 뚫린 것도 너무 놀라웠고,

몇 년 만에 보는 바다에 너무 반가웠다.

무슨 삶이 이렇게 팍팍한지....

아이들 핑계로 다녀온 일정이었지만

내가 더 힐링을 받은 하루였다.

그중에서도 신랑과 같이 먹은 막국수가

아직까지 기억이 난다.

막국수가 정말 맛있는 음식이라는 생각이 들었다.

하루 일정으로 다녀온 여행이었지만, 소소하게나마 신랑과의
단둘이 여행이라 새로웠고,

좋은 풍경과 맛난 음식을 먹고 와서 행복했다.

■ 이은재

우리 집 아들들

우리집 큰 아들
어미가 연탄광에 버리고 간 아이
신랑이 보름 낮밤을 일도 못해가면 살려낸 아이이다.
살아줘서 고맙다는 것을 알게 해 준 귀한 나의 첫 아들

우리집 작은 아들
아이를 낳자마자 엄마가 죽은 아이
친구의 주말농장에서
어미가 새끼를 낳은 것을 확인하였는데,
그다음 날 어미가 죽은 것을 발견하게 되어
데리고 온 아이이다.
생명이라는 것이 이렇게 귀한데….

고맙고 고마운 귀한 우리 집 아들들

■ 김 민 영

지혜창조연구소 대표
코칭학 박사 과정
KPC 인증코치 ((사)한국코치협회), 인증코치/
인증 프로그램 심사위원
가족/부부 상담사 등
저서 <수다치료의 이론과 실제>,
<긍정라이프를 위한 5 가지 스킬>,
<101 코칭 전략과 기술>

■ 김 민 영

노랑 - 봄. 봄. 봄 그리고 봄햇살

일곱 색깔 무지개에서 노랑을 맡은 김민영입니다.
4계절 중에 원래는 겨울을 가장 좋아했습니다. 온 세상을
하얗게 만드는 눈이 좋아서~
상담사/코치로서 제2의 삶을 살게 되면서 봄을 선택하게
되었습니다.

'이상한 변호사, 우영우'에서 주인공이 친구에게 해 주는
대사 "밝고 착하고 따뜻하고 다정한 사람이야. 봄햇살
최수연!"가 많은 이들에게 울림을 선사했는데, 이 드라마
반영 前부터 비슷한 의미로 '봄햇살'이라는 닉네임을
사용했고, 봄햇살과 가장 맞닿은 색으로 노랑을
선택하였습니다.

■ 김 민 영

Love Us - 나, 너 그리고 우리

세상에 유일무이한 존재인 '나'
그리고 때론 비슷하기도 해서 죽이 잘 맞다가도 다름의
차이를 오해와 갈등을 빚기도 하는 '너'가 만나
'우리'가 되어가는 과정!

저는 '우리'라는 단어를 참 좋았습니다.
지혜창조연구소의 핵심가치에 포함되어있는 '공동체'

끈끈한 우리!
생각나는 우리!
편안하고 행복하게 만드는 우리!
헤어질 때 아쉽고 못보면 그리운 우리!

스쳐 지나가는 많은 인연 속에서 특별한 '우리'를 만들어
보아요!

■ 김 민 영

당신을 사랑합니다 - 바른 정신과 삶의 태도로 함께 나아가요!

이번 빼빼로 데이를 생각하면서, 빼빼로의 올곧은 부분이 유독 눈에 들어왔습니다.

'사랑'을 찾아보면 국어사전에 '어떤 사람이나 존재를 몹시 아끼고 귀중히 여기는 마음'이라고 정의하고 있습니다. 첫눈에 반하는 사랑과 왠지 모를 이끌림의 호감을 넘어서서 그 마음을 오랫동안 유지하기 위해서는 무엇이 필요할까라는 고민들이 더해졌는데, 감정을 넘어선 플러스 알파는 정신과 태도이지 않을까..

욕망을 이루기 위해서 자신의 모습을 감추고 심리적 지배, 가스라이팅을 하면서 교묘하게 타인을 이용하는 사람들..

진정한 사랑은 바른 정신과 삶의 태도도 포함해야 하지 않을 까.. 성숙한 사랑을 할 수 있도록 지켜봐 주시고 응원해 주시고, 함께 해 주세요!

◼ 김 민 영

나는 얼마나 성장하고 있을까?

23년 여름부터 초가을까지 번아웃 증후군 등 여러 일들로
긴 터널을 지나고 있었고, 비로소 다시 힘을 내어 보려고
하는 11월 1일, 생각지도 못한 차사고가 발생하였습니다.
00 중학교 프로젝트를 끝내고 @@ 학교로 급히 이동하다가
살짝 펜스에 부딪힌 줄 알았는 데.. 처음이라서 미숙한
대처로 결국 앞범퍼가 뜯겨 나갔습니다.

황당하고, 당황하고, 슬프고, 짜증나고, 화도 나고....
다행히 동승자인 류홍례코치님이 옆에 계셨고,
늦었지만 끝나기 전에 @@학교에 도착해서 스탭으로
도와드릴 수 있었고
남편도 뭐라하지 않고..

하루를 마무리하려는 상황에서, 잠시 예전에 나라면
어땠을까? 하는 생각이 스쳐 지나갔습니다. 훨씬 더 많이 -
감정에, 더 깊은 강도로, 더 오래 머물러 있었을텐데.. 하는
생각과 더불어 '회복탄력성'이 좋아졌다는 사실에 뿌듯함과
대견함이~

분명 우리 모두 어느 순간에 키는 더 이상 자라지 않지만,
버티고 참아내고 한걸음 내딛는 모든 과정들로 어제보다 더

나은 내가 되고 있다는 사실을 스스로 알게 된다면 얼마나 좋을까 하는 생각이..

Bravo my Life, Beautiful day, Wonderful I!

■ 김 민 영

나 자신과 주변 사람들과 세상과 장단 맞추기!

장.단.이
늦은 결혼과 더 늦은 임신으로 18년에 태어난 장단이.
태명은 '땡큐'였습니다.

전통 연희를 전공하고 사물놀이, 탈춤 등의
공연자/선생님으로 활동하는 남편과 상의 끝에,
자신의 내면과 주변 사람들과 세상과 잘 소통하고
어우러지면서 신명나게 살길 바라는 마음에서 장단이라고
순수 한글말로 이름을 짓게 되었습니다.

'育兒는 育我다!처럼 감사하게 온 땡큐를 기르면서 성숙해져
가는 과정을 가고 있습니다.
장단이에게 말이 아닌 행동으로 엄마가 먼저 장단 맞추면서
살아가겠습니다!

■ 김 민 영

나는 코치다!

해외에 거주하고 있는 고객님과 코칭을 진행하였는데,
코칭을 통한 변화를 나눠주셨는데, 감동이였습니다.

삶을 살아가면서 한사람이 동시에 감당해야 하는 역할들이
적어도 10개 이상은 되겠죠?
저도 아내, 엄마, 딸, 며느리, 대표, 코치, 강사, 동생, 고모,
친구, 동료 ....
지혜는 우선순위를 정해서 선택과 집중을 하는 것이라고도
하는데, 저에게 있어서 코치는 역할을 넘어서 정체성이기도
합니다.

모든 사람들의 온전성을 인정하고 무한한 잠재능력을 지니고
있다는 믿는 인간관으로
관계와 소통을 통해서 같이 성장하고
원하는 모습에 더 가까이 가는 그런 가슴 뛰는 삶을 살고
싶습니다.

(사진설명 : 최근에 해외에 거주하고 있는 고객님과 코칭을 진행하였는데, 저와의 코칭을 통한 변화를 나눠주셨는데, 감동이였습니다.)

■ 김화수

숙명여자 대학교 졸업
횃불트리니티 대학원 기독상담학 졸업
심리상담사
KPC 전문 코치
MBTI 일반 강사
감정, 분노, 가족 세미나 강사
예배 인도자
세 남자들의 가족

■ 김화수

커플 신발

결혼기념일에 선물한 신발.
신혼 때 이후로 커플 신발은 처음이다.
새 신발을 신으면 기분이 산뜻하지만 적응 기간이 필요하다.

우리는 이제 그런 산뜻함이나 적응 기간이 필요 없는
사이지만

둘이 같은 신발을 신으니 가벼운 신발만큼이나 마음도
가벼웠다.

중년이 되면 부부만 남는다고 한다.
우리는 아직 아이들이 어리지만
우리도 이제 이런 아이템들을 다시 찾으면서
부부의 시간을 준비하기 시작한 걸까?

때로는 큰 아들 같아서 짜증나고,
때로는 교회 오빠 같아서 듬직하고,
때로는 이야기가 끝이 없어서 친구 같은 남편.

우리 10년 후, 20년 후에도
커플템 하나씩 만들어가면서
마음 가볍게 살아보자.
사랑해, 남편.

포기하고 싶을 때,
숨어있고 싶을 때,
주저하고 싶을때
도망가고 싶을 때,

포기하지 않게,
숨어있지 않게,
주저하지 않게,
도망가지 않게,

해 주었던 다섯 글자.

그래도 하자

■ 김화수

세상에서 가장 사소한 고민

큰 아이의 1학년 3월 어느 날. 아침부터 아이의 까치 머리를
보고는 마음이 심난하다. 아무리 빗질을 해도 차분해지지
않는 머리를 하고는 엄마 마음과는 다르게 아이는 해맑다.
 아무도 뭐라고 안 하는 데도 선생님이 엄마가 아이를 잘
관리하지 않고 보낸다고 생각할 것 같다. 외모에 관심이

많은 여자애들이 저 남자애는 머리가 별로라면서 흉을 볼 것 같다. 다른 엄마들도 우리 아이의 머리를 보면서 안타까워할 것 같다.

참 사소한 고민인 줄 알면서 오전 내내 나는 아이의 머리가 괜찮아졌을지가 고민이다. 곱슬머리는 오후가 되면 떴던 머리가 차분하게 가라앉기도 한다. 부디 그랬으면 하고 나는 기도까지 한다. 이게 뭐라고. 참 나.

아는데 계속되는 고민이 있다. 머리로는 알지만 그래도 계속 걱정되는 고민이 있다. 조금 후에 아이를 만나러 갈 텐데 불과 한 시간 안에 이 고민은 고민이 아닌 것이 될 것이다. 언제 이런 걱정을 했냐는 듯이 잊혀질 것이다. 그런데 지금은 인생 최대의 고민이다.

나는 아이를 만나자마자 아이의 머리부터 확인할 것이다. 아침에 지어진 까치집이 여전히 있는지, 아니면 그 까치는 집을 부수고 다른 곳으로 옮겨 갔는지, 옮겨 갈 때는 깨끗하게 정리하고 갔는지, 있던 자리를 티 내고 갔는지 말이다.

아이를 만나러 간다. 두근두근. 그리고 나는 눈은 아이의 머리에 고정되어 있지만 입으로는 "잘 다녀왔어? 오늘은 뭐가 재미있었어?" 하면서 아이의 머리를 쓰다듬을 것이다. 이 쓰다듬은 평상시의 쓰다듬과는 다르다는 것을 아이는 모르겠지만.

■ 김화수

익숙하지 않은 초록

어릴 때부터 내가 좋아했던 색은 푸른색이었다.
바다의 푸른색도 좋고, 하늘의 푸른색도 좋았다.

좋아하는 색을 이야기할 때면
나는 늘 파랑, 하늘, 푸른색을 이야기했었다.

남편을 만났다.
남편도 푸른색을 좋아한다.

큰 아이가 태어났다.
큰 아이도 푸른색을 좋아한다.

둘째 아이가 태어났다.
둘째 아이는 초록색을 좋아한다.

초록색?
왠지 모르게 낯설고
왠지 모르게 어색하고
왠지 모르게 익숙하지 않다.

그런데 둘째는 계속 초록색을 이야기한다.

그러다 어느 날 나도 초록색에 눈이 간다.
사진 속에 초록색들이 자주 담긴다.
이제는 푸른색이 좋은지 초록색이 좋은지 모르겠다.

익숙해지는 것. 이런 것일까?

지금 나는 푸른색도 좋아하고
초록색도 좋아하는 사람이다.

■ 김화수

나에게 책이란

바쁜 일상의 안식처이며
바쁜 일상의 회피처이기도 하다.

막막한 상황에서 불안의 해소책이며
막막한 상황에서 지혜의 출구책이기도 하다.

쌓여서 부담스러운 장식품이며
쌓여서 자랑스러운 장식품이기도 하다.

기억에서 사라지는 지식이며
기억에서 사라지지 않는 지혜이기도 하다.

그런 내가 책을 쓴다.
이제 책은 또 하나의 의미가 생겼다.

책은 나에게 작가라는 이름을 붙여주었다.
아무도 모를지라도.

누가
다녀갔지?

작품만 두고

흔적도 없이

■ 김화수

11월

매년 11월이 되면
한 해가 끝나가는 느낌이 든다.
날씨는 추워지고,
두꺼운 옷들을 꺼내며,
크리스마스 트리를 준비하며
서서히 한 해를 돌아보게 된다.

한 해를 돌아보면
별로 한 것이 없다는 생각이 든다.
큰일을 한 것도 아니고,
엄청난 부가 생기지도 않았으며
작년과 크게 달라진 것들도 없지만
잔잔하게 쌓여 있는 것들이 보인다.

시끌벅적하지만 사랑스러운 아이들.
때론 투닥거리지만 든든한 남편.
만나면 즐겁고 서로를 지지해 주는 관계들.
내가 평생하고 자 하는 일들.
영적인 심리적인 내적 근육.
심지어 주름살과 뱃살까지...^^;;;

이 글을 쓰는 11월.
나는 이 글을 쓰면서 한 해를 돌아본다.

올 한 해도 무사했고
올 한 해도 감사했고
올 한 해도 즐거웠고
올 한 해도 사랑했다.

■ 전 미 주

부산 경성대학교 인문대학원 한국학 수료
열린사이버대학교 예술상담학 졸업
KPC 인증코치 (한국코치협회)
NLP 프렉티셔너
JSC(주니어사회지원단체) 전문강사
경기도일자리재단 꿈날개 직장적응상담사
지혜창조연구소 진로강사
독서심리상담사

■ 전 미 주

언어의 힘

세상이 여름 여름 하다가
이제 가을 가을 해졌다.

이 말이 무슨 뜻인지 알겠지?
이것이 바로 언어의 힘.

나는 오늘도 미주 미주 할 것이다.
이 말도 무슨 뜻인지 알겠지?

너는 너 자신을 어떤 언어로 이해하고 있는가?
그래, 그거야.

이해하고 느끼고, 그리고 충분히 사랑하고 즐겨라.

■ 전 미 주

My signature color is blue

여러분은 하루에 하늘을 몇 번이나 올려다보세요?

저도 생각해 보면 그렇게 자주 보지는 못한답니다.
걸을 때보다는 운전할 때 하늘을 더 많이 보는 것 같아요,

제가 좋아하는 색은 일곱 색깔 무지개 중에서 파랑입니다.
좀 더 정확하게 표현하자면 하늘색이라고 할 수 있어요.
이유는 간단합니다.
하늘색 옷이 붉은 제 얼굴 톤에 잘 어울리거든요.
하늘색 옷을 입고 밖에 나가면 사람들이 예쁘다는 말을
많이 해준답니다.
그러다가 점점 파란색, 하늘색이 좋아진 것 같아요.

저의 독서모임 별명은 바다입니다.
의도하지 않았지만 바다도 파란색이네요.
제가 좋아하는 바다는 문무왕 수중 왕릉에서 본 '속 보이는
푸른 바다'입니다.
속 보이는 푸른 바다가 무슨 뜻인지 궁금하시죠?
여러분도 꼭 한번 가 보세요.
저의 파란색이 이해되실 거예요.

■ 전 미 주

친구에게

한 계절이나 두 계절 정도만 지나면 너를 만났었는데
세 계절을 지나도 너를 만나지 못하니
너와 지나다녔던 그 길들,
너와 웃었던 그 공원들을 거닐며
혼자 눈물짓는다.
혼자 가는 그 길이 외롭지 않았기를...

태어났다면 누구나 받아들여야 할 일이지만
처음 겪는 일에 너무 놀라지 않았을지...
가을바람이 불고 낙엽이 지는 데도

나는 너의 모습을 보지 못하는구나.

보고 싶다 친구야
환하게 웃던 너의 얼굴을

알고 있니?
내가 아는 사람 중에 가장 활짝 웃는 사람이 너라는 것을
받은 것보다 더 많은 것을 나눠준 너였다는 것을
너를 통해서 따뜻한 사랑을 느낄 수 있었다는 것을

■ 전 미 주

서러움이라는 감정

어깨가 아프다.

8개월째 미루고 미루었던 주사를 맞았다.
너무 아팠다.
어지러워서 잠깐 눈을 감았다.
갑자기 눈물이 나왔다.
눈물이 나는 미주를 보며 보고 있는 내가 깜짝 놀란다.
'미주야, 왜 우니?'라고 물어본다.

'모르겠어. 그냥 눈물이 나와.'라고 말한다.

'지금 어떤 감정이 느껴지니?'라고 다시 물으니 이렇게
대답한다.
'그냥... 아프니까 서러워.'
서럽다...
무엇이 그리도 서러울까.
아픔에서 서러움을 느끼다니.
50여 년의 세월을 어떻게 느끼고 있는지 파도가 밀려오듯
한꺼번에 이해가 된다.

조용히 토닥토닥 위로해 주었다.
미주는 진짜 아픈 거 싫어하는구나...
좀 더 많이 아끼며 사랑해 줄게.
너의 눈물이 기쁨으로 바뀌기를 소원한다.

■ 전 미 주

반드시

이 시원한 바람을 사진에 담을 수는 없지만
이 상쾌한 공기를 너에게 보여줄 수는 없지만

그 더운 한여름에 그토록 그리워하고 기다렸던

그 바람이 드디어 불어온다.

그렇다.

기다려라.

반드시 돌아온다.

그대는 무엇을 원하는가.

무엇이 그대의 가슴을 뛰게 만드는가.

그때까지 그대는 무엇을 하고 있을 것인가.

■ 전 미 주

감사

내 안에 성령의 충만을 항상 기억하게 하시고

하루의 성찰을 통해 범사에 감사하게 하시며

나를 통해 하나님의 온기가 그대에게 전해져 사랑을 전하게
해 주소서.

하나님의 울타리를 기억해서 내가 행하는 모든 일이
사랑임을 알게 하소서.

하나님의 나에 대한 사랑을 믿고 그 믿음대로 사랑하며
행동하게 해 주소서.

내 안에 성령의 충만을 항상 기억하고

하루의 성찰을 통해 범사에 감사하며

성령 안에서 자유함을 알게 해 주소서.

■ 전 미 주

멋진 희재 엄마 나현숙

희재의 엄마는 사랑이 많은 동네 대장 엄마다.

자신의 아이들뿐만 아니라 동네의 모든 아이들을 아끼고
사랑한다.

며칠 전 희재 학교에서 학폭과 관련된 일이 일어났었다.

희재 엄마는 수소문을 해서 학폭을 한 아이를 만나서 동네
한 바퀴를 돌면서 그 아이의 이야기를 충분히 들어주었다고
한다. 이 세상에는 편견없이 자신의 말을 있는 그대로
들어주는 어른도 있다는 것을 보여줘야 한다는 생각에서

잘 알지도 못하는 아이에게 연락을 해서 이야기를
들어주고 마음을 나누었다고 한다.

정말 아름다운 마음이다.

그런 엄마의 행동에 대해서 희재는 오지랖이라고 말했지만
그 아이의 입장에서는 엄청난 경험을 한 것이다. 자신의
이야기를 아무런 편견없이 온전히 들어주는 이런 어른이
있음을 알게 되었고, 자신을 있는 그대로 봐주는 한 사람을
경험함으로써 좀더 세상을 넓고 따뜻한 시선으로 바라보며
성장할 수 있을 것이다.

멋지다, 나현숙!!!

나라면 과연 그렇게 할 수 있었을까?

멋진 사람 옆에 멋진 사람이 되고 싶다.

사람이 아름답다.

■ 전 미 주

가슴이 쿵...

내가 해보고 싶은 일, 하면 좋겠다 싶은 일, 가슴 뛰는 일을

누가 벌써 다 해놨더라.
그래서 내가 하고 싶은 건 별로 없어”라는 말을 자주 하며
살았었다.

그러다가 이 구절을 만났다.
[오늘의 명언: 진정한 성공이란 작은 정원을 가꾸든 사회
환경을 개선하든, 자기가 태어나기 전보다 세상을
조금이라도 더 살기 좋은 곳으로 만들어 놓고 떠나는 것
(랠프 월드 에머슨)]

가슴이 쿵 내려앉는다.
그래...
이 세상 뜨기 전에 조금이라도 더 살기 좋은 곳으로 만드는
데에 내가 할 수 있는 만큼 조금이라도 기여를 하고 가는
걸로 하자.
그것만으로도 충분한 삶의 의미가 될 수 있다.
조금이면 된다.
할 수 있는 만큼.
이왕이면 재미나게~
이왕이면 신명나게~

■ 전 미 주

나의 애제자들

나의 40대, 50대 제자들이 공부하는 모습이다.

너무나도 예쁘고 사랑스럽다.

정말 은혜롭고 찬란한 날이구나 싶었던 그날,

산에 올라가서 야외수업을 했다.

두 사람은 알려나.

자신들이 얼마나 예쁘고 사랑스러운지.

나이라는 숫자가 사라지는 이 순간,

우리는 소녀가 되었다.

함께 오래도록 이 소중한 만남을 아름답게 가꾸고 싶다.

이날의 햇살과 바람과 웃음소리를 듬뿍 담은

김밥과 커피와 단감은 아주아주 맛있었다.

■ 이 윤 경

DISC 전문강사
웰다잉지도사 2급
건국대학교 미술 심리치료 지도사
(사) KPO명강사협회 전문강사
실버 웰라이프 코칭지도사
실버 놀이 치료지도사
국가공인 브레인 트레이너

■ 이윤경

나에게 바탕색 푸르시안블루 (남색)

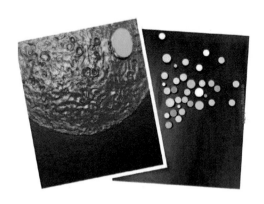

난 색을 다 좋아한다.

쌤들이 다 고르시고 남은 색으로 나에게 온 색이다.

유화, 아크릴로 그림을 그리는 내가 가장 좋아하는 색이다.

푸르시안블루.

가볍지 않고 그렇다고 너무 무겁지도 않은 멋스럽고 품위가

있어 좋아한다

그림을 그릴 때 바탕색으로 어느 색과도 조화롭게 잘

어울리고 품어주는 색이다

남색은 내 그림의 바탕색으로 나에겐 의미 있는 색이다.

나도 누구와도 조화롭게 잘 어울리고 품어 줄 수 있는

남색 같은 바탕이 되는 사람이고 싶다.

■ 이윤경

강남을 접수하다

지난 5월.

1년여를 ZOOM에서 매일 보던 우리는

"우리 만날까요?"

"그래요. 너무 좋아요."

그렇게 마음이 통해 중간 접점인 강남에서 대면으로
만났답니다

참 이상하죠?
어제 만났던 것 같고, 늘 만났던 사이처럼 누구랄 게 없이
편안한......

8월. 두 번째 만남도 그랬답니다.
20년 지기처럼 옆집에 늘 같이 살았던 편안함.
둘이 되고, 셋이 되고, 넷이 되고, 다섯이 되는 시간을
기대와 믿음으로 편안하게 기다리며 만남의 기쁨을 두 번, 세
번, 네 번, 느꼈답니다.
그러면서 못 온 멤버들을 그리워하고 모두 함께 하는 날을

기대하며 우리의 이야기는 꽃이 되었지요.

이야기꽃이 만발하여 이야기 향기를 온몸에 품고 왔답니다.

씻어도 없어지지 않는 온몸에 베어 있는 이야기 향기가
입가에 미소를 계속 짓고 있게 만드네요.

두 번째 만남도 장장 7시간을 강남을 접수했답니다.

시간의 조작 7분 같은 7시간......

12월. 세 번째 만남. 비로소 완전체가 되었답니다.

드레스코드는 Red & Green.

저마다 색깔을 맞추어 온 모습에 예쁘다 멋지다를 연발하며
여고생처럼 깔깔깔 호호호 마냥 설레어 떠들어 댔답니다.

사진 찍기 예쁜 장소에서 만난 우리는 음식만 시켜 놓고

나와 사진 찍기 삼매경에 빠졌답니다.

사진 찍으면서도 깔깔깔 호호호.

음식도 맛있고 에이드도 맛있고 우리는 멋있고.

오늘의 하이라이트 만 원의 행복 선물 교환 시간.

이름을 써서 뽑기로 결정하기로 했는데 단 한 번에 끝나는 기이한 일이 생겼답니다.

더욱 신기한 일은 서로의 이름을 뽑아 맞교환하게 되었다는....

우리는 또 이 기이한 일에 의미를 부여하며 한참을 이야기 했답니다.

3시간의 시간이 3분같이 느껴지는 마법 같은 일을 다시 한번 경험하며 아쉬움에 발길이 안 떨어졌지만 우리에게는 매일매일 내일이 있으니.....내일 봐요

2023. 12. 12.

미주쌤이 ˮ그냥 좋아~ˮ가

귓가에 맴도는 새벽입니다.

■ 이윤경

뒷모습

"그림 그리러 오세요"

부산쌤의 전화에 고민도 안 하고 부산으로 go~~!!

호기심이 많으신 부산쌤.

이사 오고 한 번도 안 가본 길이 있으시다며

"혼자 가기는 좀 그런데 선생님이 왔으니 한 번 가봐요"해서 가던 길에 만난 바닷가를 바라보는 노부부의 조각상 옆에

앉아서 사진 한 장 찰칵!! 뒷모습이 아름답다.

엄마가 돌아가시기 전에 하신 말씀 "잘들 살어~~"했던 것 처럼

'잘~~ 살았다'

내 인생을 돌아볼 때 누구에게든, 나 스스로에게든
후회 없이 하고픈 말이다.
이제는 앞모습보다는 뒷모습이 아름답고 싶다.
나이 들어감에 주름진 모습도 아름답지만 흐뭇한 미소가
그려지는 아름다운 뒷모습이고 싶다.
아이들에게.. 나에게.. 그 누구에게...
부끄럽지 않은 아름다운 뒷모습이고 싶다.
'잘~ 살았다'
내생 마감하는 날. 후회 없기를....

그 훗날 우리 아이들에게 잘 살다간 엄마로 할머니로
회자되기를....

함께여서 행복한
2023. 6. 19. 새벽에

■ 이윤경

엄마 아버지 이사하던 날

마루공원.

하남시민이어서 자랑스럽게 모셨던 곳.

엄마 돌아가시고 용미리에 계시던 아버지를 모셔와 함께
모셨을 때 비로소 편안했었다.

엄마 아빠를 뵈러 올 때마다 007작전을 했었다.

평소 엄마 아버지가 좋아하시던 음식들....

그래야 양갱이, 새로 나온 과자들 떡, 빵 몇 가지에 술은
못 드시지만 반주를 꼭 한 잔씩 하시던 아버지를 위해
새로 나온 술로 한잔 올리려면 망을 봐가면서
몰래몰래 급하게 절하고 마음 졸이며 나와야 했다.
그런 이유였는지 핑계였는지.... 가까우니 엄청 자주 갈 것
같았는데, 코로나 핑계, 바쁘다는 핑계, 생신 제사 명절
말고는 자주 가지는 않았다.

작년 막냇동생이 여기저기 알아보고 용인 공원에 있는
아너스톤에 모시기로 하고 이벤트 기간에 좋은 가격으로
사두었다.

윤년이든 해 윤달에 이장하는 게 좋다고 해서 받아 놓은 날.
세월은 진짜 빨라 그날이 되었네요.
날도 좋도 경치도 좋고 무엇보다 전에 느낄 수 없었던
따뜻함이 좋았다.
그리고 안에 본인의 유품을 넣어드릴 수 있어서 더 좋았다
엄마가 아끼시던 성모마리아 상, 묵주, 반지를 넣어드리니
편안하다. 반주를 꼭 드시던 아버지껜 테라 모형 1상자를
넣어드리고 두 분이 심심해하실까 봐 화투(신상을
좋아하시던 아버지를 위해 최신형)를 넣어드리고 화관도
씌어 드렸다.
엄마 아버지 시선에 커다란 창문이 있어 하늘과 산과

사계절을 훤히 다 보실 수 있는 곳이라 더욱 좋다.

좋은 경치 보며 두 분이 화투 치시며 신선처럼 계실 것을
생각하니 우리 모두 돌아오는 발걸음이 가벼웠다.

사람은 두 번 죽는다고 한다.

육체가 한번. 기억되지 않으면 두 번. 기억되지 않으면 진짜
죽는 거라고 한다.

우리 엄마 아버지는 영원히 기억되어 두 번 죽는 날은
아주아주아주 먼 훗날이 될 것이다.

그리움의 가슴을 안고

2023. 4. 17 새벽에

■ 이윤경

똥강아지들

키티 인형을 사주기에는 비쌌던 시절.

본뜨고, 솜 넣어 비슷하게 만들어 주니 어찌나
좋아하던지.......

지금도 가끔 이야기를 한다.

루프는 머리에 한다는 걸 어떻게 알았는지

머리에 탁 말고 한쪽엔 신발을 신고 멋을 내고 있는 윤정이.

과자 봉지 옆에 차고, 껌 꾀나 씹는 언니처럼 삐딱하게
불량해 보이는 희주.

이제는 사진을 봐야 어렴풋이 생각이 난다.

이런 시절이 있었지.....

득템한 사진을 보며 입가에 미소가 지어지는
2023. 3. 13. 새벽에

▣ 최희숙

쌍용투자증권 근무

꿈꾸는 매쓰 코칭 운영

2008년부터 현재까지 초중고 집단상담 진행

학습클리닉 지도자

인성교육지도사

(사) 한국코치협회 KAC

지혜창조연구소 진로코치

K-DISC 전문강사

◼ 최희숙

보라

원래 하늘색을 좋아했었는데 오래전 재스민 꽃이
너무 예뻐서 키우게 되면서 보라색의 매력에 풍덩 빠지게
되었다
보라색은 빨간색의 힘과 파란색의 우아함을 합쳐놓은
색이다. 사람 관계에서 조화로운 만남을 추구하고자 하는
나의 평소 생각과 잘 어울리는 색깔인 듯하다.
여러가지 상징 의미 중에서 통찰력, 상상력, 관용과 긍정적,
품위라는 의미가 참 좋고 앞으로 그렇게 살아가고 싶다.

■ 최희숙

딸들과 추억 만들기

2023년 1월 29일
아트아라 공방에서 두 딸들과 지인 결혼 선물을 위한
도자기를 만들었다.
셋이서 맛집 투어, 산책, 전시 뮤지컬 영화 관람 등은
했지만 함께
도자 체험을 하는 것은 딸들 초등 이후 오랜만이라 설레고
행복했다.
요즘 나의 역할 순위는 며느리 > 선생님 > 엄마 > 아내
순서였던 것 같아서

항상 미안하고 속상하고 마음이 무거웠는데 이날 백지장
한 장만큼 가벼워진 느낌이었다.
2023년 내 생애 최고의 해 집중할 나의 역할을 '엄마'로
정했었는데 첫걸음을 내딛는 날, 자주는 못해도 함께 할
취미로 도자기 만들기는 정말 좋다.
딸들과의 데이트 덕분에 행복 가득 가슴 뭉클한 시간이었다
노현, 선용 든든하고 사랑해.

2023. 03. 06. 아침

■ 최희숙

3대의 홍콩여행기

2018년 8월 17일

시어머님과 생일이 같은 신기한 인연으로 해마다 생일을
같이 했었는데 둘째 딸이 할머니와 엄마를 위한 생신
선물로 2박 3일 홍콩 여행을 기획하여 3대 세 여성이
처음으로 해외 그것도 자유여행을 가게 되었다.
설렘 반 걱정 반의 마음으로 출발하였는데 너무도 소중하고
감사한 추억의 시간이었다. 나도 좋았지만 어머님께서 정말
좋아하셔서 최고의 여행이 되었다.

지금 생각하면 그때 다녀오지 못했으면 평생 하지 못했을

일이있고 둘째 딸이 아니었으면 생각도 실행도 못했을
일이었다.
오늘 아침 어머님 생각이 많이 난다. 정말 감사했고 더 잘
해 드리지 못한 죄송한 마음이 든다.
어머님, 존경합니다. 선용아, 감동적인 생일선물 고마워.

2023. 03. 13. 아침

■ 최희숙

학생들과의 만남

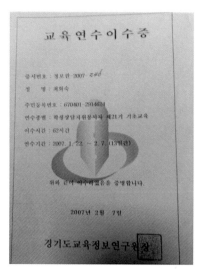 

새 학기를 맞이하여 용인 학생상담 자원봉사자회 부회장으로
학교 배정, 스터디 진행, 월례 회의 진행 등을 하면서 여러
가지 생각이 드는 시점이다.

우연하게 큰딸 초3, 작은딸 초2 담임선생님께서 같은
분이었던 소중한 인연으로인해 봉사자의 길을 추천해 주셔서
이 길이 있는 것을 알게 되었다. 처음에는 우리 딸들에게
좋은 엄마보다는 화내지 않는 엄마가 되고자 시작했는데
지금까지 봉사보다 내가 배운 게 너무 많은 정말 감사한
일이다.

'어떤 일을 시작하면 10년은 하자'라는 나만의 다짐을 잘

이실천해온 나 자신을 칭찬 하면서 앞으로도 학생들의
마음을 좀 더 공감해 주고 함께 나누며 섬길 수 있는 진정한
봉사자가 되고 싶다.

2023. 04. 17. 아침

■ 최희숙

그리운 우리 가족 (여섯 명)

2019년 12월 본격적인 코로나 직전 하이원리조트로 1박 2일
가족여행을 다녀왔다. 우리 가족이 함께 충주가 아닌
곳으로의 여행의 마지막 여행이 될 줄은 그땐 몰랐다.
코로나가 너무나도 원망스럽다.
어제 아버님을 모시고 뮤지엄 산으로 여행을 다녀오고 오늘
어버이날 아침이 되니 어머님의 빈자리가 허전하다.
한 번도 같이 여행 다녀 본 적이 없는 친정어머니, 아버지도
생각이 난다. 산사람은 다 살아가는구나 하는 생각과 함께
하늘나라의 세분 모두 편안하시길.....
두 딸들에게 부끄럽지 않은 부모가 되어야지 하는 다짐과
함께 모두 건강하기를 바라본다.

2023. 05. 08. 아침

■ 최희숙

모두가 나의 스승

올해도 어김없이 스승의 날이 되었다. 매년 내가 잘하고 있나 스스로 돌아보게 된다. 학생들의 마음이 담긴 편지를 받으면서 감사와 반성과 다짐을 해 본다.

초3부터 고3까지 10년을 함께 한 학생부터 상담만 한 학생, 1회 수업만 한 학생 등 꽤 많은 학생들과 많은 시간을 함께 했다. 벌써 결혼하여 엄마가 된 제자도 있고 지금 공부하고 있는 초4 막내까지 모두가 나를 성장시킨 스승이다.

스승이란, 수학만 가르치는 지식전달자가 아니라 마음을 움직이게 하는 사람이어야 한다는 생각으로 지금까지 해왔다. 앞으로 얼마나 더 많은 아이들과 만날 수 있을지 모르겠지만 지금 마음 변치 않고 아이들과 소통하고 서로의 스승이 되어 주는 관계이고 싶다.

애들아 각자의 꿈과 미래 그리고 행복을 응원한다. 파이팅^^

2023. 05. 22. 아침

■ 최희숙

가장 소중한 보물

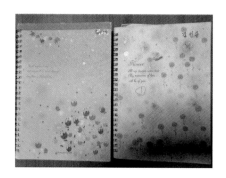

누가 나에게 "당신에게 세상에서 가장 소중한 물건은
무엇인가요?"라는 질문을 한다면 질문에 대한 답변은 이 두
권의 노트이다.

2005년 4월 7일 시작된 딸들과의 편지 노트
이름은 칭찬 노트인데 쭈욱 넘겨보니 미안하다는 말이 더
많은 것 같다. 글씨도 변하고 내용도 변하고 말로 하면
감정이 격해지거나 쑥스러운 내용들이 많았다.

딸들이 성장하면서 주고받는 횟수가 줄어들어서 조금 아쉽긴
하지만 딸들 마음에도 소중한 추억이 되었으면 한다.

여러 가지 부족함이 많은 상황이었음에도 불구하고 잘
자라줘서 각자 열심히 살아가고 있는 딸들에게 감사한
아침이다. 가끔씩이라도 다시 편지 주고받기 하면서 고마운
마음을 전해 보고싶다. 두 딸들 엄마에겐 최고의 축복이야
사랑해^^

2023. 06. 19. 아침

■ 최희숙

따뜻한 밥상

큰 딸은 된장찌개
작은 딸은 삼치
시아버님은 대구 지리
남편은 김치찌개

좋아하는 메뉴는 다르지만
준비하는 마음은 하나
사랑 가득 정성 가득
따뜻한 밥상

서로 응원하며
기도하는 마음
사랑 가득 행복 가득
따뜻한 우리 가족

■ 최희숙

세 번째 스무 살

2023년 10월 13일 여러 가지 의미 있는 날이다.
31년째 같이 살고 있는 김상락 님의 회갑
남편은 "요즘 누가 회갑을 하냐?"라고 말 하지만 그냥
넘어가기엔 아쉬워서 딸들이 준비한 조촐한 축하파티^^
신기한 용돈 풍선과 딸이 직접 만든 현수막으로 집에서
파티를 하고 아버님과 네 식구가 요즘 세대들이나 갈법한
전통주 집에 가서 맛있고 멋진 저녁식사를 했다.

지금까지 힘들고 어려운 일 잘 견뎌주신 김상락님, 수고 많으셨고 감사하다. 새로운 출발 힘차게 건강하게 꽃길만 걷기를 기도한다. 좋은 일이 많으면 좋겠지만 좋지 않은 일도 감사하는 마음으로 잘 이겨내서 평온한 삶이 되길 바라본다.
우리 가족 모두 재미있고 행복하게 아자아자~^^

2023. 10. 23. 아침

ZEE PHOTO

에필로그

나에게 시간 창조란?
시간창조는 시간만 창조하는 것이 아니라
나의 일상생활과 나의 인생을 창조 하게됐다.
                                        -김재희-

나의 시창연
자격증 공부를 위해 시작한 시간창조연구소.
처음에는 어색함으로 시작했으나, 이제는 둘도 없는
동반자이다.
나태함을 부지런으로 바꾸어주는 곳,
사람 냄새나는 시창연,
같이 할 수 있어서 행복하다.
                                        -이은재-

시간을 창조하기 위한
시간창조연구소.

그런데
과거를 창조하고
현재를 창조하고
미래를 창조하는 공간.

그리고.
행복과 사랑도 창조하는 공간.
                                        -김화수-

어디선가 하나 둘 모여
어느새 새벽 6시에
시간 창조라는 일곱 빛깔 무지개를 만들어 내는 우리들.

각자의 사연으로,
서로의 끌림으로,
다른 책들을 만나는 시간이지만
그 다양함 속에서 함께하는 우리들.

아름다운 사람 옆에 또 아름다운 사람.
그렇게 일곱 명의 반짝반짝 빛나는 우리들.

-전미주-

나에게 시간 창조란
시: 시간을 알리는 알람 소리에
간; 간신히 일어날 때도 있지만
창: 창창한 우리쌤들 보면, 그냥
조: 조아~~조아~~

-이윤경-

나에게 시간 창조란
시간의 마법사, 습관의 마법사, 관계의 마법사,
사랑의 마법사 ,따뜻한 마법사

그냥 좋아요^^

-최희숙-